雪女の家
おけら山
ひりひり滝
おおかみ男の家
ぬるぬる池
かたかた橋
にこにこ
ぷんぷん
めそめそ
の花畑
ぞくぞく劇場
美術館
ぞくぞく小学校

ぞくぞく村の

# 雪女（ゆきおんな）
# ユキミダイフク

末吉暁子・作　垂石眞子・絵

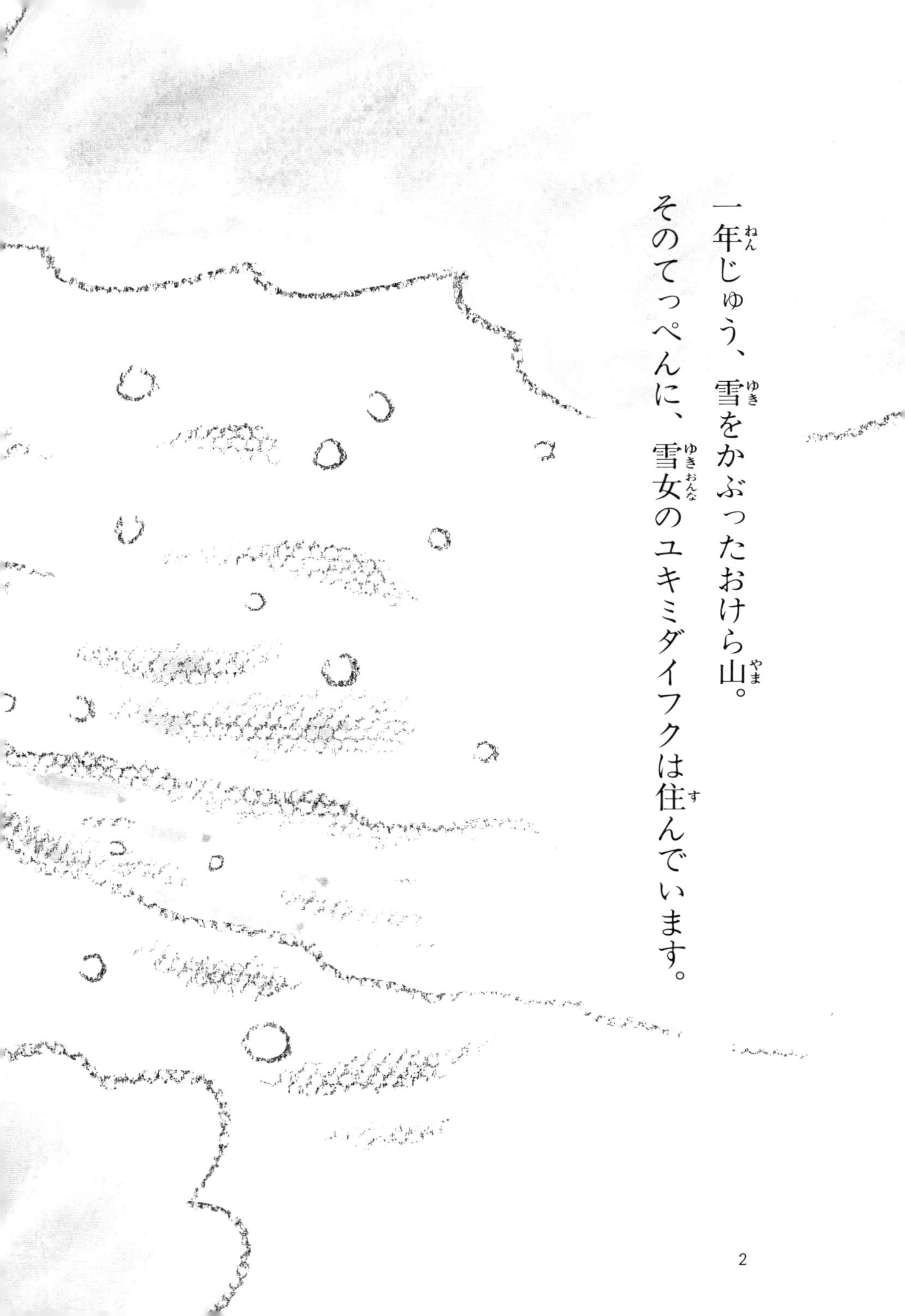

一年じゅう、雪をかぶったおけら山。
そのてっぺんに、雪女のユキミダイフクは住んでいます。

雪（ゆき）や　ボンボン
あられや　ブンブン
ふっても　ふっても
まだ　ふりたらん
もっともっと　ボンボン
ふってこい
ウオー！

ふりしきる雪の中で、ユキミダイフクは大口あけて歌います。雪はますますはげしくなり、風もビュービューふいてきて、おけら山は猛ふぶきです。

「オーシ！　元気もりもりわいてきたで。」

ユキミダイフクが、ドスコイ！　ドスコイ！　と、シコをふんだときです。

「ヒーイイイ！」

足の下から、かぼそい悲鳴が聞こえました。

「ん？　なんや、ふんづけたんかいな。」

かた足をどけてみると、雪の下から、なにやら緑色の服のようなものがのぞいています。

「こりゃ、なんじゃいな。」

あわてて雪をかき出してみると、どうでしょう。

雪の下にたおれていたのは、小鬼のゴブリンではありませんか。愛用のつるはしを胸の下に、しっかりだきかかえています。

「ありゃま、小鬼のゴブリンさん。いったい、どないしたん、こんなところで。」

「ガチガチガチ……ガチガチガチガチ……。」

冷凍人間になるすんぜんのゴブリンは、なにか言おうと思っても、歯の根がガチガチガチ言うばかりで言葉になりません。

「まあ、ともかく、うちん中にお入り。ここよりはまだ、ええかもしれんわ。」

ユキミダイフクは、かた手でひょいとゴブリンをだきあげ、もうかた方の手につるはしをにぎると、家の中にはこびこみました。

「なにかあったかいもん、あげたいけどなあ、あいにくうちとこは火気厳禁でなあ。かき氷ぐらいしか、あれへんねん。」

「ガチガチガチ……ガチガチガチガチ……。」

ゴブリンはふるえる手で、上着のポケットからたんぽぽ酒の小びんを取りだすと、ふるえながら自分の口に流しこみました。お酒はびちゃびちゃにこぼれて、ほんの数てきしか口に入りませんでしたが、それでも、ちょっと人心地がついたのでしょう。

「あわわわ、わ。やれやれ、えらい目にあった、わ。」

やっと言葉が出てきました。

「いやね、『ぞくぞく村だより』の8号を読んでたら、ユキミダイフクさんがダイアモンドを雪の中におっことして、なくしてしまっ

たって出てたもんだから……。ここはひとつ、わしがほりだして
やろうと、つるはし一本持ってかけつけたんだよ。」

そうです。

少し前のことですが、ミイラのラムさんと、とうめい人間サムガリーと、魔女のオバタンは、異次元世界にぼうけんに行き、みごとダイアモンドをみやげに持ちかえったのでした。

そのとき、異次元世界への通路をおしえてあげたお礼に、ユキミダイフクも三つぶのダイアモンドをもらったのです。でも、あっという間に、雪の中におっことして、なくしてしまったのでした。

「へーえ。それで、ゴブリンさん、
雪ん中でいきだおれになって
しもたんかいな。あほらし。
あれは、もう、あてがとっくに
みつけだしてん。」

「えーっ？　なんてこったい。
ほねおりぞんの、くたびれもうけ。」
小鬼（こおに）のゴブリンは、がっくり。
「ちょっと、こっちゃきて、
見（み）てみなはれ。」
ユキミダイフクは、ゴブリンを
うら庭（にわ）につれていきました。

「ほう！」

ユキミダイフクの家のうら庭は、みごとな雪のちょうこく庭園です。

雪でできた花や草や木。トナカイやマンモスや、きょうりゅうまでもが、庭のあちこちに立っています。

「みごとやろ。これ、みいんなあてが作ったんやで。」

「で、でも、例のダイアモンドはどこに？」

ゴブリンはきょろきょろしながら、聞きました。あくまで、ダイアモンドにしかきょうみがないようです。

「この中のどっかにあるんや。さがしてみ。」

「そんなもん、わかるか。どっからどこまで、まっ白けじゃないか。」

ゴブリンがふくれっつらをしたときです。

雲間からほんの一とき、月がのぞいて、
キラキラリン！　と、きょうりゅうの
両の目玉が光りました。

「あそこだ！」
ゴブリンは、ころがるようにして、
きょうりゅうにかけよりました。
「ほう！　ダイアの目玉(めだま)の
きょうりゅうか。おっ、おでこの
まん中(なか)にも一こ、あるぞ。」
「それは、ほくろのかわりや。」
「ぜいたくなきょうりゅうだなあ。」
ゴブリンは、よだれをたらしそうな顔(かお)で、
うっとりとみつめています。

「さ、目の保養になってよかったやろ。気いつけて帰んなはれ。」

いつまでも、きょうりゅうのそばをはなれようとしないゴブリンを、むりやり帰して、ユキミダイフクは、ホッ！

火気厳禁

それから、二、三日したある日。

氷のかけらでジグソーパズルをやっていたユキミダイフクは、ふと窓の外を見て、

「ん？」

目の前に広がるじまんのちょうこく庭園が、気のせいか、うらさびしく見えたのです。

「なんでやろ。」

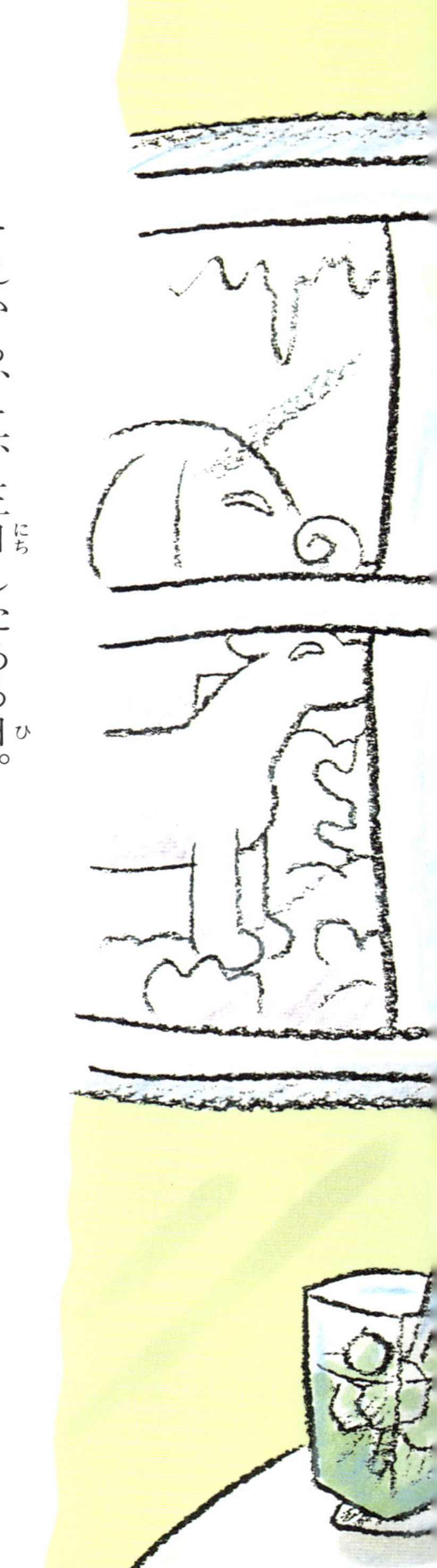

もう一度、ようく見て、ユキミダイフクは、

「ゲーッ！」

さびしいはずです。なんと、雪のきょうりゅうがいなくなっていたのですから。

頭のてっぺんからしっぽの先まで、もちろん、ダイアモンドごと、かき消したようにいなくなっているのです。

「おらん！　おらん！　きょうりゅうがおらへん！」

うら庭へ飛びだしたユキミダイフクは、へなへなとこしをぬかしました。

「な、なんでや。なんでや。そんな、あほな！」

ふと見ると、きょうりゅうがいたあたりの雪の上に、足あとがついています。

長いしっぽを引きずったようなあとも、のこっています。しかも、その足あとは、うら庭から外へつづいているのです。

「んんん？」

ユキミダイフクは、むちゅうで、その足あとの上をはいずってつけていきました。

足あとは、おけら山のふもと、ぞくぞく村の方へむかっています。

「ってことは、まさか！　いんや、そうとしか思えへん！」

ユキミダイフクは、さけびました。

「ゴブリンのしわざや！」

あきらめきれないゴブリンは、ついに
きょうりゅうごと、ダイアモンドを
ぬすみだしたにちがいありません。
「あんにゃろう！　ゆ、ゆるせん！」
ブチッと切(き)れたユキミダイフクは、
「秘技(ひぎ)！　雪(ゆき)だるま、大回転(だいかいてん)！」
さけんで、ごろんとでんぐりがえり。

そして、また、ごろんごろんごろんごろん、ごろんごろん。

まんまるの雪玉になってころがっていくうち、雪でふくれあがって、ますます大きくなっていきます。

目にもとまらぬ速さでちくちく森のわきをすぎ、なおもひりひり滝の横をころがりつづけていきました。

おどろいて飛びのく人たちをしりめに、どっきり広場を通りぬけ、ひそひそ川も、いきおいで飛びこえました。

　そのまま、おばけかぼちゃ畑に飛びこんで、かぼちゃたちをはねあげて、ようやく止まりました。立ちあがってみれば、目の前にべろべろの木。

「オーシ！　あれがゴブリンの家やな。」

「なんだ、なんだ。なにごとだ！」

べろべろの木の根もとからも、ゴブリンが飛びだしてきたところでした。

ゴブリンのうしろから、おくさん。つづいて、七つ子の赤ちゃんたちが、はいはいで飛びだしてきます。

「あてのちょうこく庭園から、きょうりゅうをぬすみだしたの、あんさんやろ？」

ユキミダイフクがズバリと切りだすと、ゴブリンは、きょとん！

「とぼけなはんな。雪のきょうりゅうがなあ、ダイアモンドごと、いなくなってしもたんや。早いとこ、かえさへんと、氷の息をふきかけて、冷凍小鬼にしてまうで。」

こわい声で言ってやろうとしたのですが、雪の上でないので、いまいち、力が入りません。

「あんた、なに言ってるの。うちの人が、雪のきょうりゅうをぬすみだしたって？　へんないいがかりをつけると、うちの七つ子たちをけしかけるわよ。」

ゴブリンのおくさんが、パチンと指をならすと、七つ子の赤ちゃんたちは、いっせいにユキミダイフクにむかって、おしよせてきました。

氷の息をふきかける間もありません。

ヌラリンは、スピードはいはいで、たちまち、
ユキミダイフクの頭によじのぼってくるし、
かくれんぼ名人のクラリンは、
ふところにもぐりこんできます。
くいしんぼうのパクリンは、
ユキミダイフクの着物の
すそをちぎって食べ、
はだかんぼ大すきの
ベロリンは、着物をぬがせに
かかります。
「わあ！　なに、すんねん。」

思わずたおれたユキミダイフクの背中の上に、コロリンが、ドスン！　この子は、鉄のかたまりみたいに重いのです。

「うっ！」

うめいたユキミダイフクのほっぺたに、チクリンが、くりのいがみたいにかたい髪の毛を、ゴリゴリおしつけました。

「ひええっ！　いたたた。なんや、この子らは！」

「おいおい、やめなさい！」

あわててゴブリンが、赤ちゃんたちを引きはがさなかったら、ユキミダイフクは、ぼろぼろになっていたでしょう。

「ほんとに、わしゃ、雪のきょうりゅうなんか、ぬすんでないんだよ。

だいいち、わしだったら、あんな大きなきょうりゅうごとぬすまないで、ダイアモンドだけ、取ってくるよ。」

ゴブリンに言われて、ユキミダイフクも、

「それもそやね。ほなら、いったい、だれが……。」

と首をかしげたときでした。

七つ子の赤ちゃんのすえっ子、リンリンが、「アー、アー！」と言いながら、どこかを指さしました。

この子は、ちょっとふしぎな力を持った子で、行ったこともないのに、お花畑の花を手にしていたり、肖像画にかかれた人と話をしたりするのです。

「リンリンがどこかを指さしてるわ。」

「もじゃもじゃ原っぱの方だ。」

「ミイラのラムさんちの方かもしれへん。」

みんなは立ちあがって、目をこらしましたが、とくにかわったものは見えません。

「アー、アー、つめたい……かい……じゅう……、お目目、ピカー!」

リンリンが、またもや、つぶやきました。

「なんや、この子。雪のきょうりゅうのこと、言うてんのとちゃう?」

「ちがいない。お目目ピカーは、ダイアモンドのことだぞ。」

「あっちゃの方やな。」

言うが早いか、ユキミダイフクはころがりだしました。

「わしも行ってみよ。」

ゴブリンも、つるはし持って、かけだしました。

もじゃもじゃ原っぱの手前で、ちびっこおばけたちに出会ったので、ユキミダイフクは聞いてみました。

「ちょっと、そこのじょうちゃんたちや。ここいらで、雪のきょうりゅうを見なかったかいな。」

すると、ちびっこおばけたちは、声をそろえて言いました。

「雪のきょうりゅうなんて、見ない！　聞かない！　知らない！」

こわ…

でも……
グーちゃん
吸血鬼のドラキュラならみたわ
スーちゃん
ぐずぐず谷のほうへ歩いていったわよ
ピーちゃん

「へんだな。　リンリンが見たのは、　吸血鬼のドラキュラ
だったのかな。」
ゴブリンも首をひねりました。
「ついでだから、　ぐずぐず谷まで、　行って
みようか。」
ユキミダイフクと
ゴブリンは、
ぐずぐず谷に
むかいました。

とちゅうで、お散歩中のミイラのラムさんと、
おくさんの
マミさんに出会いました。

「やあ、お二人さん。どっかで
雪のきょうりゅうを見かけなかったかね。」

「いや、ぼくたち、さっき、
とうめい人間のサムガリーさんの
おくさんには出会ったけどね。」
「おくさんのナオミさん、
例のダイアモンドのイアリングと
ゆびわ、してたわよ。
すてきだったわあ。」

例のダイアモンドの
イアリングと
ゆびわというのは、
サムガリーが
異次元世界での
大ぼうけんから持ちかえった
フンジバットの秘宝に
ちがいありません。

じゃあ、リンリンが見まちがえたのは、ナオミさんのことだったのかなあ。

で、どっちゃの方へ、むかっとったん？

ぶつぶつ
あっち。

「ぐずぐず谷だ。さっきもドラキュラが、ぐずぐず谷の方へ行ったって言ってたよね。」

「ぐずぐず谷いうたら、
魔女のオバタンのうちが
あるやろ？　そこで、
なんか、あるんかいな。」
「ともかく、行ってみようか。」
「そしたら、さいなら。」

ユキミダイフクは、
またもやころがりだし、
ゴブリンは、
かけだしました。

ぐずぐず谷への坂道を、猛スピードでくだっていくと、はるか先の方を、へんなぎょうれつがすすんでいくのが見えました。

「ありゃ、なんやろ。」

「あっ、一番うしろを歩いていくの、サムガリーのおくさんのナオミさんじゃないか。」

「ほんまや。ほんで、その前はドラキュラやで。」

「ああっ！　先頭を行くのは、雪のきょうりゅうじゃないか！」

「あてのきょうりゅうが、歩いてるで！　どないなっとんや！」

ユキミダイフクは、あきれてさけびました。

ふたりと一ぴきのぎょうれつは、ピコピコ、ピョン！ピコピコ、ピョン！　とはねながら、ぐずぐず谷の底にある魔女のオバタンの家に引きよせられるように、すすんでいくのです。

「おーい！　おーい！」

ゴブリンがさけんでも、ナオミさんもドラキュラも、もちろん、雪のきょうりゅうも、ふりかえりもしません。

追いついたユキミダイフクとゴブリンは、なんともふしぎなものを目にしました。

雪のきょうりゅうの顔の中で、ぴかぴかー、ぴかぴかーと、生き物のようにまたたいているのは、目玉にはめこんだダイアモンドと、ひたいのほくろがわりのダイアモンド。

そして、ナオミさんのとうめいな顔の横で、やはり生き物のようにまたたいているのは、ダイアモンドのイアリングと、手ぶくろの指にはめたゆびわ。

それらのダイアモンドは、まるでおたがいにリズムを取りあうように、同じかんかくで強くなったり弱くなったりしながら、またたいているのです。

「ははあ、どうやら原因は、あのダイアモンドだな。」

「でも、へんやな。吸血鬼のドラキュラは、ダイアモンドに関係あれへんはずやのに。」

そうです。もう一人、ダイアモンドを持ちかえったのは、ミイラのラムさんなのですから。ラムさんは、それを自分の店のこっとう屋で『フンジバットの秘宝』として売りだし中のはずです。

けれども、二人は見てしまったのです。ぶきみにわらっているドラキュラの口の中で、ぴかぴかー、ぴかぴかーと光っている三本のダイアモンドの入れ歯を！

「ラムさんの店から買って、さし歯にしたんだ！」

なぜ、ミイラのラムさんでなく、ドラキュラなのかの、なぞはとけました。

「でも、なんで、そろって魔女のオバタンの家にむかっているんやろ。」

「わからん。でも、もう一人、ダイアモンドを手にしたのが魔女のオバタンだからな。」

ともあれ、先頭の雪のきょうりゅうは、あいかわらず目玉とほくろを光らせながら、ずるずる、しっぽを引きずって、オバタンの家のうら庭の方へ引きよせられていきます。

つづいてドラキュラ。そして、ナオミさんが。

もちろん、ユキミダイフクもゴブリンも、あとにつづきました。

オバタンの家についた、ユキミダイフクたちが見たものは……。

庭のテーブルの上で、やっぱり、ぴかぴかー、ぴかぴかーと、呼吸をするようにまたたいている三つのダイアモンド。

そして、そのダイアモンドをテーブルから引きはがそうと、うんうん言っている魔女のオバタンでした。

「うーむ、はなれない、はなれない。4の目が出たまま、かたまってしまったぞ。」

そういえば、魔女のオバタンは、三このダイアモンドをさいころにして、ダイアモンドうらないに使っているはずでした。

「いったい、どないしたん？」

ユキミダイフクは、そっと、そばにいたオバタンの使い魔たちに聞いてみました。

「いや、オバタン、ダイアモンド
うらない、やっててね。」
と、ねこのアカトラ。

「4の目が三つそろったら、
なぜか、さいころがテーブルに
くっついたまま、はなれなく
なってしまったの。」
と、こうもりのバッサリ。

「そいで、とつぜん、ぴかぴかー、
ぴかぴかーって、息するみたいに
光りだしたの。」
と、ひきがえるのイボイボ。

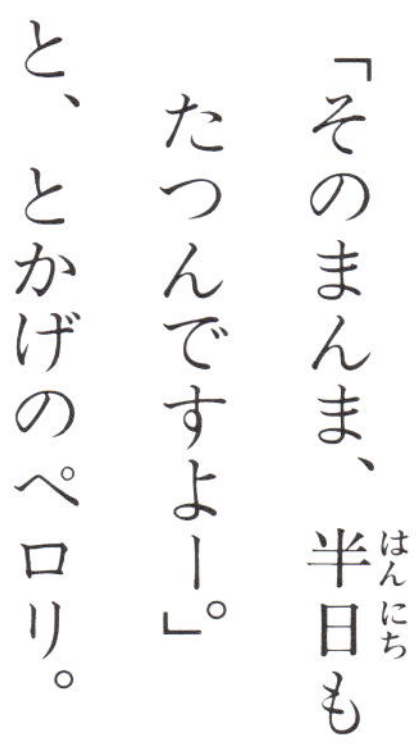

「そのまんま、半日も
たつんですよー。」
と、とかげのペロリ。

そのとき、顔をあげたオバタンは、近づいてくる雪のきょうりゅうや、ドラキュラや、ナオミさんに気がつきました。

「んー？　そうか。そういうことだったのか！」

さすが魔女です。オバタンは、早くもどんななりゆきになるのか、わかったようです。

テーブルの上のダイアモンドは、ますます強くかがやきだしました。

それにこたえるように、きょうりゅうの目玉(めだま)やほくろも、
ドラキュラのさし歯(ば)も、ナオミさんのイアリングとゆびわも、
強(つよ)く光(ひかり)をはなちます。

そして　ついに、ダイアモンドたちは、強い
じしゃくに　引かれるように、それぞれ、
今まで
いた場所から
飛びだすと、地面の上で
ひとかたまりになりました。
「ありゃあ、どないなっとんねん。」
目からダイアが落ちたとたん、雪の
きょうりゅうは、動かないただのちょうこくに
もどりました。
ナオミさんも、ドラキュラも、夢からさめたように、

きょろきょろしています。

あっけにとられて見つめているみんなの前で、十二このダイアモンドたちは、輪になって、ぐるぐるまわりだしました。

「おうおう、同郷のダイアモンドが、またいっしょになれて、手を取りあっておどってるわ。」

オバタンがつぶやきました。

「このダイアモンドたちは、いつもいっしょにいたいんだ。」

「やっぱり、フンジバットの秘宝にはふしぎな力があるんやね。」

いや
わひの
ほーいれふぁ
にふる
フガ
フガ

「こんなややこしいダイアモンドは、やっぱりあたしが全部あずかるっきゃないね。」

と、オバタンが言えば、

「こんなによろこんでるダイアモンドたちを、またばらばらにするのはかわいそう。全部つないで、あたしのネックレスにするわ。」

と、ナオミさん。

「いや、わしの総入れ歯にする。」

と、ドラキュラ。

「いやいや、うちの七つ子たちのガラガラにしたら、よろこぶぞ。」

ゴブリンも負けてはいません。

さあ、それから、ああでもない、こうでもないと、みんな口からあわを飛ばして話しあったのですが、いつまでたっても決まりません。

ユキミダイフクは、だんだんとけてきて、髪の毛や着物のすそからは、ぽたぽたと、しずくがたれてくるしまつ。

「もう、ええわ！　かってにしなはれ！　ぐずぐずしとったら、あてはとけてしまう。さき、帰らしてもらうで。」

すると、オバタンは大よろこび。

「そうお？　そんなら、せめてダイアモンドのかわりに、あたしがうらないに使ってる、かきのたねとかぼちゃのたねと、すいかのたねを持ってくといいわ。」

ジャンケンで決めよう！
いやアミダで勝負だ！
いすとりゲームなんてどう？
なにいってんだいプロレスで決まりよ!!
あーだ
こーだ
ぽた
ぽた

雪のきょうりゅうをかついで、おけら山に帰ってきたユキミダイフクは、しかたなく、かきのたねとかぼちゃのたねを、きょうりゅうの目玉に、すいかのたねを、おでこのほくろに、はりつけました。

「おっ、なかなか、かわいらしいやないの。わるくないで、きょうりゅうはん。」

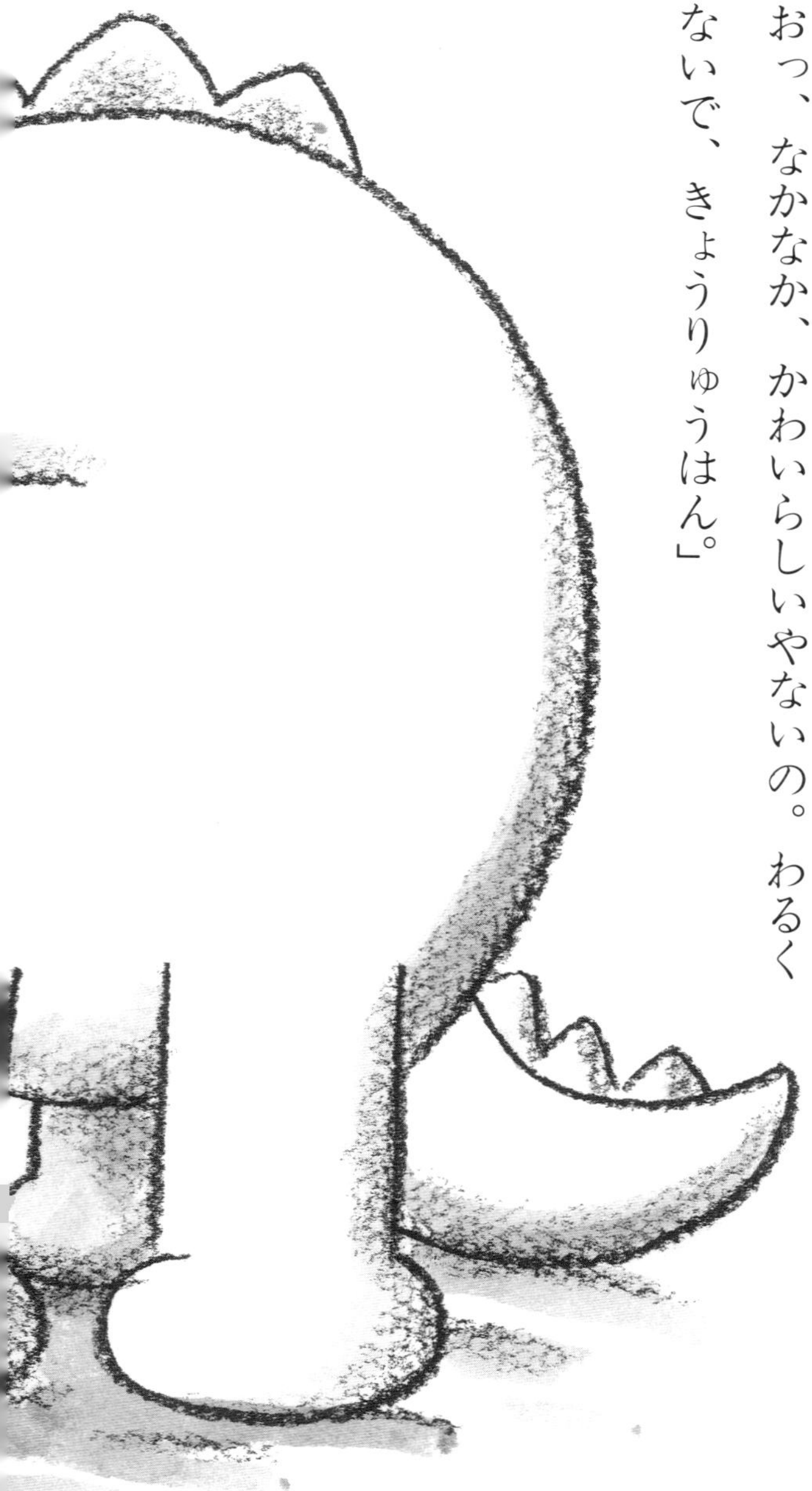

# ぞくぞく村だより⑩号

ユキミダイフク監修
雪女特集

◆発行所◆
ぞくぞく村広報室

## ダイアモンドのゆくえ、その後

さて、ダイアモンドをだれのものにするかで、もめていた魔女のオバタンと、とうめい人間のおくさん、吸血鬼のドラキュラですが、その後のゆくえは、こうなりました。

① もめているオバタン、ナオミさん、ドラキュラ。

② そこへ、サムガリーがやってくる。「ホヤホヤが病気らしい。オバタン、なんとかしておくれ。」

③ すると、ダイアモンドたちが、おどりながら、集まってきた！

④ ダイアが触れたとたん、ホヤホヤ、すっかり元気に。

⑤ とろうとすると、すごい勢いで、つつくので……。

⑥ 結局、ダイアは、ホヤホヤのネックレスに。「同じアッチャの世界から来た者同士、なかよしなんだな。」

## 質問コーナー

Q. ぞくぞく村のお月さまも妖怪なのですか？

A. そうです。だから、おこったり笑ったり、ときには、ぶたの顔になったりします。

Q. 魔女のオバタンは、一度やせたのに、どうしてまた太ったの？

A. やせていると、大きな声が出せないのと、おいしいものを、おなかがいっぱい食べたかったから。

# 世界の雪男・雪女集合！

## ★ぞくぞく村でいちばん会いたいのは、だれ？

いちばん会ってみたい人の名前をハガキに書いて、一九九九年三月三十一日までにぞくぞく村係あてに送ってね。ファン投票の結果はぞくぞく村だより⑪号で発表します。

★おたよりください◆あてさき◆〒一〇一―〇〇六五 東京都千代田区西神田三―二―一 あかね書房「ぞくぞく村」係

作者　**末吉暁子**（すえよし　あきこ）
神奈川県生まれ。児童図書の編集者を経て、創作活動に入る。『星に帰った少女』（偕成社）で日本児童文学者協会新人賞、日本児童文芸家協会新人賞受賞。『ママの黄色い子象』（講談社）で野間児童文芸賞、『雨ふり花さいた』（偕成社）で小学館児童出版文化賞、『赤い髪のミウ』（講談社）で産経児童出版文化賞フジテレビ賞受賞。長編ファンタジーに『波のそこにも』（偕成社）が、シリーズ作品に「きょうりゅうほねほねくん」「くいしんぼうチップ」（共にあかね書房）など多数がある。垂石さんとの絵本に『とうさんねこのたんじょうび』（BL出版）がある。2016年没。

画家　**垂石眞子**（たるいし　まこ）
神奈川県生まれ。多摩美術大学卒業。絵本に『ライオンとぼく』（偕成社）、『おかあさんのおべんとう』（童心社）、『もりのふゆじたく』『きのみのケーキ』『あたたかいおくりもの』『あいうえおおきなだいふくだ』『あついあつい』（以上福音館書店）、『メガネをかけたら』（小学館）、『わすれたって、いいんだよ』（光村教育図書）、『けんぽうのえほん　あなたこそたからもの』（大月書店）などがある。挿絵の作品に『かわいいこねこをもらってください』（ポプラ社）など多数。
日本児童出版美術家連盟会員。
垂石眞子ホームページ
http://www.taruishi-mako.com/

ぞくぞく村のおばけシリーズ⑩　**ぞくぞく村の雪女ユキミダイフク**
発　行＊1998年8月第1刷　2021年3月第27刷　NDC913　79P　22cm
作　者＊**末吉暁子**　画　家＊**垂石眞子**
発行者＊岡本光晴
発行所＊**あかね書房**　〒101-0065　東京都千代田区西神田3-2-1／TEL.03-3263-0641(代)
印刷所＊錦明印刷㈱　写植所＊千代田写植　製本所＊㈱難波製本

ISBN978-4-251-03680-3

ぞく村
雨ぼうずの家
おしゃれおばけの家
びよびよ丘
オバタンの家
もじゃもじゃ原っぱ
ブろブろの木
ミイラのラムさん
ゴブリンの家
とんとん橋
おばけかぼちゃ畑
吸血鬼の家
ぱかぱか森
ふさふさ川